Einojuhani Rautavaara

CREDO

for mixed choir / sekakuorolle

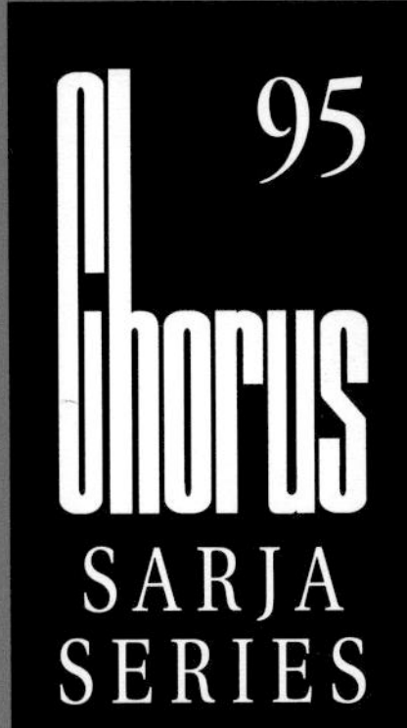

Credo

Cover illustration from *Das Erfurter Enchiridion* (1524)

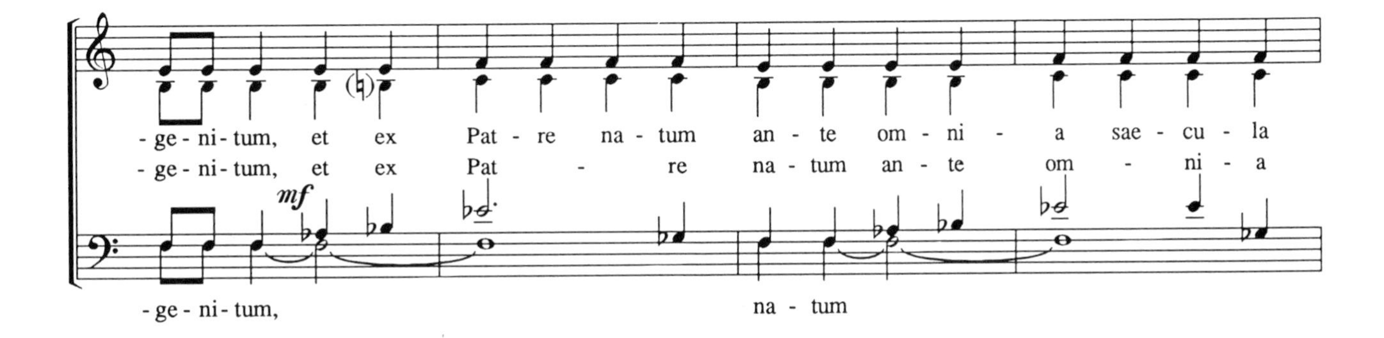
mf
- ge - ni - tum, et ex Pat - re na - tum an - te om - ni - a sae - cu - la
- ge - ni - tum, et ex Pat - re na - tum an - te om - ni - a
- ge - ni - tum, na - tum

mf
na - tum De - um de De - o, lu - men de lu - mi - ne,
sae - cu - la,
et
mf

S
A
T
B
f
De - um ve - rum de De - o ve - ro, ge - ni - tum non fac - tum,
f
De - um ve - rum de De - o ve - ro, ge - ni - tum non fac - tum,
f

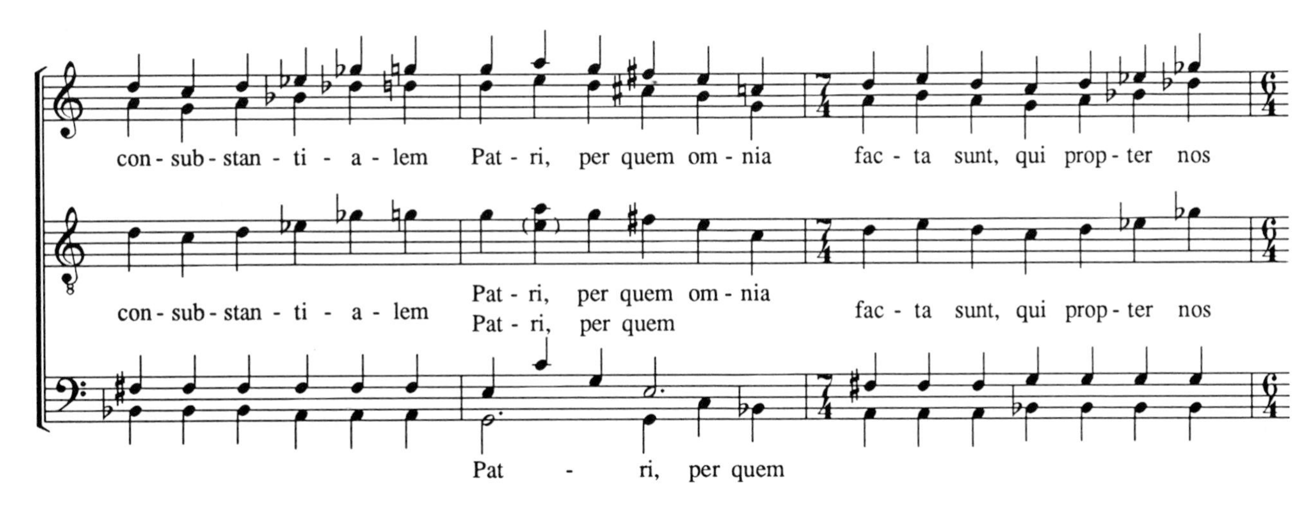
con - sub - stan - ti - a - lem Pat - ri, per quem om - nia fac - ta sunt, qui prop - ter nos
Pat - ri, per quem om - nia
con - sub - stan - ti - a - lem fac - ta sunt, qui prop - ter nos
Pat - ri, per quem
Pat - ri, per quem

ho - mi - nes et prop - ter nos - tram sa - lu - tem des - cen - dit de
ho - mi - nes et prop - ter
ho - mi - nes et
nos - tram sa - lu - tem des - cen - dit de
ho - mi - nes et nos - tram sa - lu - tem des - cen - dit de
Molto meno mosso ♩ = c. 80
pp Spi - - - pp ri -
pp
coe - lis. Et in - car - na - tus est
p
coe - lis. Et in - car - na - tus est de Spi - ri - tu Sanc - to ex Ma -
ppp
coe - lis. Et in - car - na - tus est

- tu Sanc - tu cru - ci - fix - us e - ti - am pro
pp pp p
ex vir - gi - ne,
p pp
- ri - a vir - gi - ne, et ho - mo fac - tus est. Pas - sus
pp
ex vir - gi - ne, pas - sus et se -

no - bis
p ff
S
A
p
sub Pon - ti - o Pi - la - to, pas - sus et se - pul - tus est.
et se - pul - tus, pas - sus et se - pul - tus est.
pp
T
B
p ff
- pul - tus, pas - sus, pas - sus,

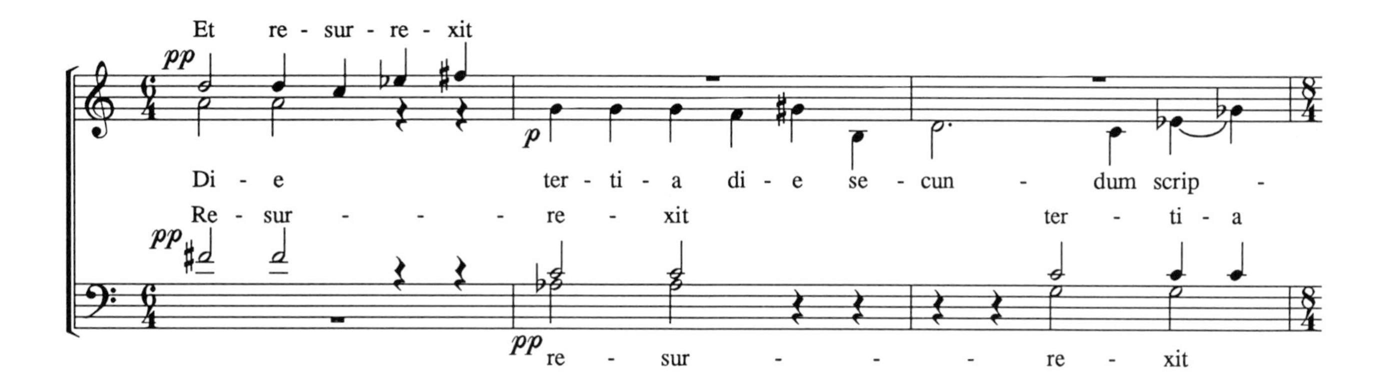
Et re - sur - re - xit
pp
p
Di - e ter - ti - a di - e se - cun - dum scrip -
Re - sur - re - xit ter - ti - a
pp
pp re - sur - re - xit

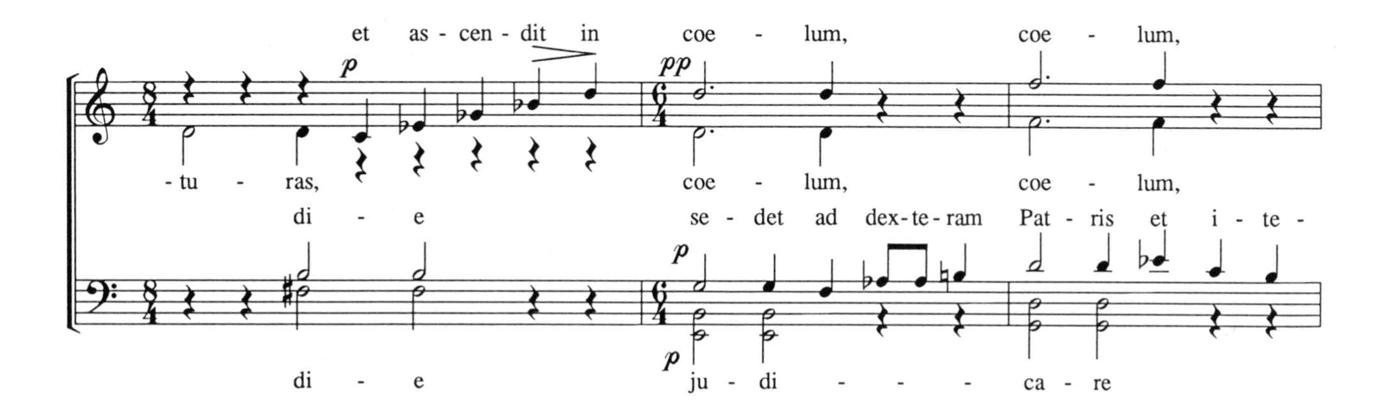
et as - cen - dit in coe - lum, coe - lum,
p
pp
- tu - ras, coe - lum, coe - lum,
di - e se - det ad dex - te - ram Pat - ris et i - te -
p
p
di - e ju - di - ca - re

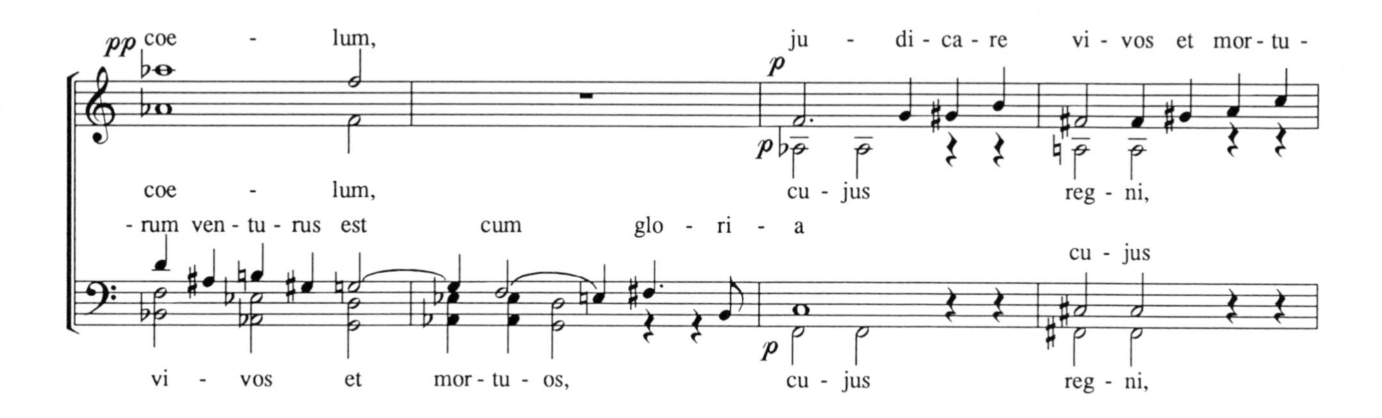
pp coe - lum, ju - di - ca - re vi - vos et mor - tu -
p
p
coe - lum, cu - jus reg - ni,
- rum ven - tu - rus est cum glo - ri - a
cu - jus
p
vi - vos et mor - tu - os, cu - jus reg - ni,

- os, cu - jus reg - ni non e - rat fi - nis.
reg - ni e - rat non fi - nis.

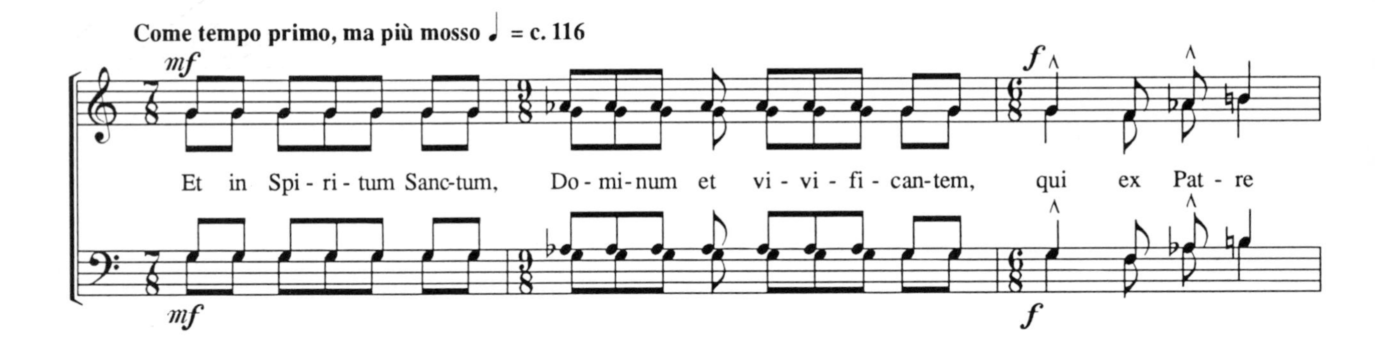
Come tempo primo, ma più mosso ♩ = c. 116
Et in Spi - ri - tum Sanc-tum, Do - mi - num et vi - vi - fi - can-tem, qui ex Pat - re

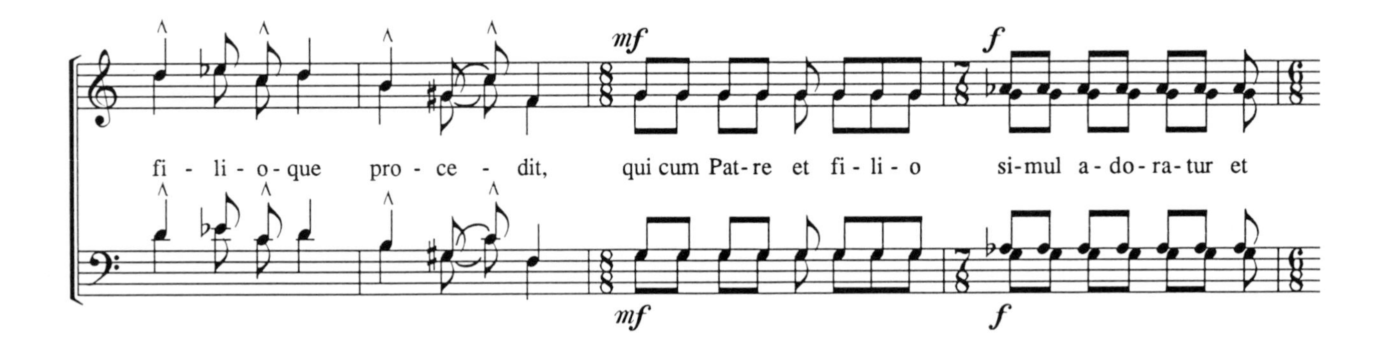
fi - li - o - que pro - ce - dit, qui cum Pat - re et fi - li - o si - mul a - do - ra - tur et

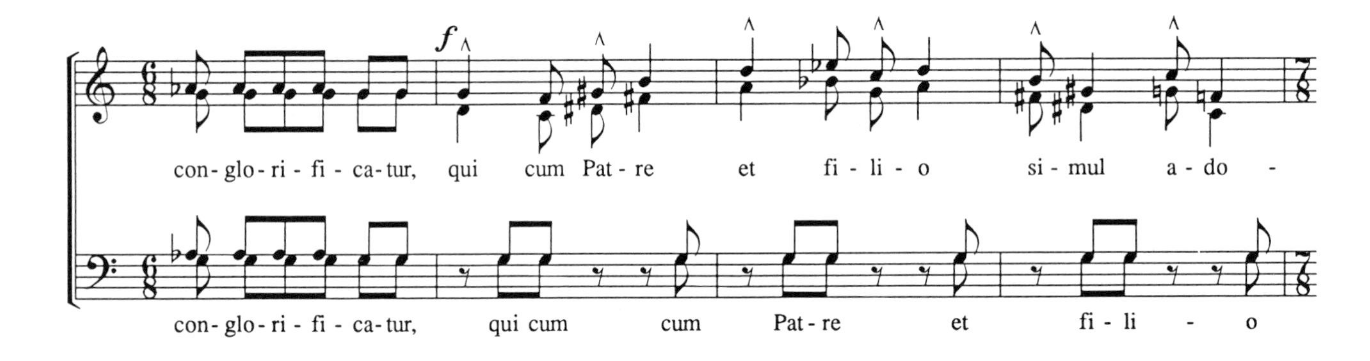
con - glo - ri - fi - ca - tur, qui cum Pat - re et fi - li - o si - mul a - do -
con - glo - ri - fi - ca - tur, qui cum cum Pat - re et fi - li - o

- ra - tur
a - do - ra - tur et con - glo - ri - fi - ca - tur qui lo - cu - tus est per pro - phe - tas.

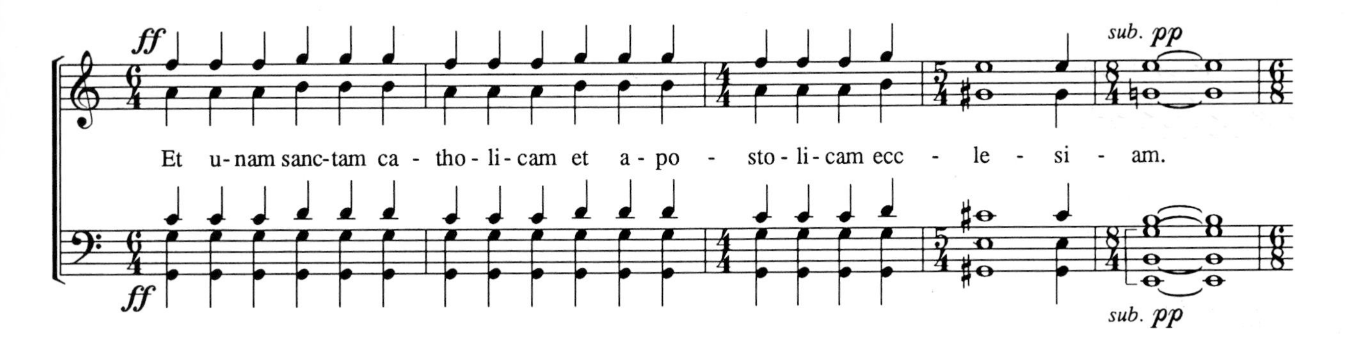
ff
sub. pp
Et u-nam sanc-tam ca - tho - li - cam et a - po - sto - li - cam ecc - le - si - am.
ff
sub. pp

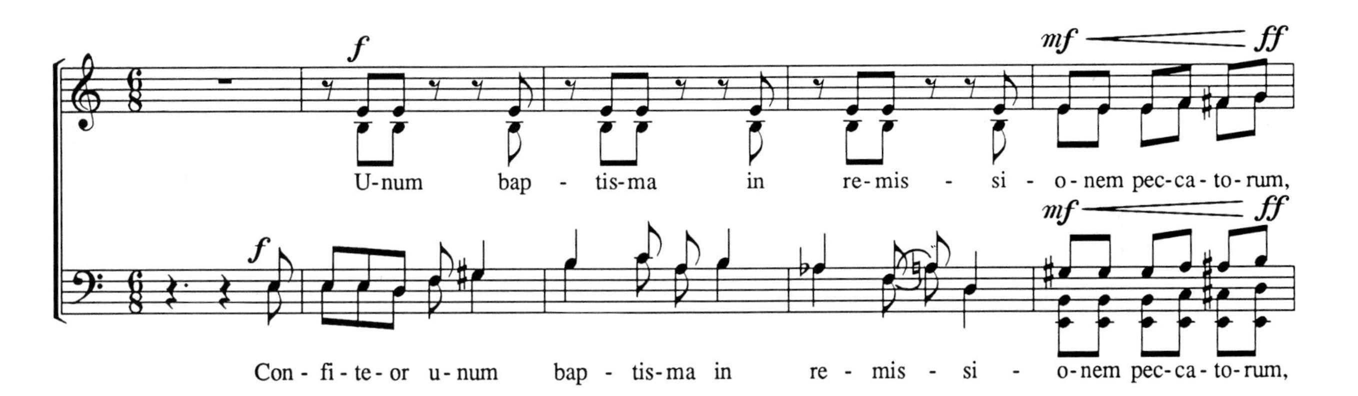
f
mf ff
U-num bap - tis-ma in re-mis - si - o-nem pec-ca - to-rum,
f
mf ff
Con - fi - te - or u - num bap - tis - ma in re - mis - si - o-nem pec-ca - to-rum,

f
mf ff
f
re-sur - rec - ti - o - nem mor-tu - o - rum et vi-tam, ex-pec-to re-sur -
et ex-pec-to re - sur-rec-ti - o - nem mor-tu - o-rum et vi-tam, ex-pec-to re-sur -
f
mf ff
f

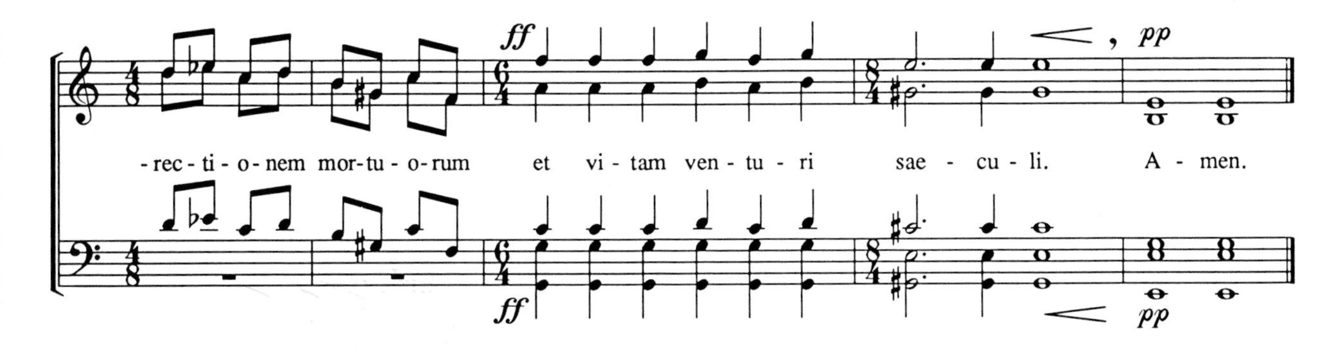
ff
pp
-rec - ti - o - nem mor-tu - o-rum et vi - tam ven - tu - ri sae - cu - li. A - men.
ff
pp

Unless otherwise mentioned, all works are for mixed choir a cappella

1. BENGT JOHANSSON: THE TOMB AT AKR ÇAAR (Eng)
2. BENGT JOHANSSON: LOVSÅNG (Sw)
3. EERO SIPILÄ: MISERERE (Lat)
4. EINOJUHANI RAUTAVAARA: EHTOOLLINEN / NATTVARDEN (Fin/Sw)
5. EINOJUHANI RAUTAVAARA: MISSA DUODECANONICA for 3-part chorus (Lat)
6. JEAN SIBELIUS: RAKASTAVA (Fin)
7. BENGT JOHANSSON: FRÅN FLYDDA TIDER for choirs, brass and timpani (Sw)
8. BENGT JOHANSSON: VÄNRIKKI STOOL -SARJA for choirs, brass and timpani (Fin)
9. JOONAS KOKKONEN: LAUDATIO DOMINI for mixed choir and soprano (Lat)
10. BENGT JOHANSSON: CANTICUM ZACHARIAE (Lat)
11. ERIK BERGMAN: JESURUN for baritone, male choir and instrumental ensemble (Sw)
12. BENGT JOHANSSON: THREE CLASSIC MADRIGALS (Eng)
13. BENGT JOHANSSON: LAUDA for baritone, 1-part choir and organ (Fin)
14. JAAKKO LINJAMA: MYRSKY (Fin)
15. ERKKI SALMENHAARA: KUUN KASVOT / THE FACE OF THE MOON (Fin/Eng)
16. BENGT JOHANSSON: PATER NOSTER for 3-part (SSA) chorus (Lat)
17. BENGT JOHANSSON: GRADUALE FÖR TREFALDIGHETSSÖNDAGEN for baritone, double mixed choir and orchestra (Sw)
18. ERIK BERGMAN: CANTICUM FENNICUM for baritone, narrator, male choir and orchestra (Fin/Sw)
19. BENGT JOHANSSON: MISERERE MEI (Lat)
20. BENGT JOHANSSON: MINÄ KUNNIOITAN SINUA, JUMALANI for baritone, double mixed choir and orchestra (Fin)
21. SULO SALONEN: GUNNAR BJÖRLING CYKEL (Sw)
22. ERIK BERGMAN: ANNONSSIDAN for baritone, 3 soloists and male choir (Sw)
23. EINAR ENGLUND: CHACONNE for mixed choir, trombone and double bass (Lat)
24. ERIK BERGMAN: NOX for baritone, mixed choir and instruments (It/Ger/Fr/Eng)
25. BENGT JOHANSSON: TWO EXTRACTS FROM THE SONGS OF SOLOMON (Eng)
26. BENGT JOHANSSON: MISSA A QUATTRO VOCI (Lat)
27. ERIK BERGMAN: MISSA IN HONOREM SANCTI HENRICI for mixed choir, soloists and organ (Lat)
28. ERIK BERGMAN: HATHOR-SUITE for soprano, baritone, mixed choir and instrumental ensemble (Ger)
29. BENGT JOHANSSON: CUM ESSEM PARVULUS for 3-part chorus (Lat)
30. SAKARI MONONEN: VUORELA-SARJA (Fin)
31. ERIK BERGMAN: MYÖS NÄIN / AUCH SO (X)
32. BENGT JOHANSSON: VENUS AND ADONIS (First Encounter) (Eng)
33. AULIS SALLINEN: SUITA GRAMMATICALE / KIELIOPILLINEN SARJA for children's choir and chamber orchestra (Ger/Fr/Eng/Ru)
34. ERIK BERGMAN: MIKSI EI / WARUM NICHT for male choir and two soloists (X)
35. SULO SALONEN: DE PROFUNDIS (Lat)
36. ERIK BERGMAN: KAKSI KARJALAISTA KANSANLAULUA / ZWEI KARELISCHE VOLKSLIEDER / TWO KARELIAN FOLK SONGS for male chorus (Fin/Ger/Eng)
37. HARRI TUOMINEN: JALKAISIN SAIN KULKEA (Fin)
38. ERIK BERGMAN: LAMENTO – BURLETTA (X)
39. BENGT JOHANSSON: VENUS AND ADONIS (Second Encounter) (Eng)
40. SULO SALONEN: MISSA CUM JUBILO for mixed choir, organ and percussion (Lat)
41. ERIK BERGMAN: TYTTÖSET / THE LASSES for mixed choir and three soloists (Fin/Eng)
42. EINOJUHANI RAUTAVAARA: HERRAN RUKOUS (Fin)
43. HARRI TUOMINEN: KULJESKELLEN (Fin)
44. BENGT JOHANSSON: VENUS AND ADONIS (Third Encounter) (Eng)
45. BENGT JOHANSSON: VENUS AND ADONIS (Fourth Encounter) (Eng)
46. BENGT JOHANSSON: VENUS AND ADONIS (Epilogue) (Eng)
47. JAAKKO LINJAMA: KEVÄTLAULU MAAKYLÄSSÄ for mixed choir and tenor (Fin)
48. HARRI TUOMINEN: KEVÄT SAARTAA YLENPALTTISEN ILON PAVILJONGIN (Fin)
49. ERIK BERGMAN: BON APPÉTIT! for reciter, baritone and male choir (Sw)
50. EINAR ENGLUND: HYMNUS SEPULCRALIS (Lat)
51. ERIK BERGMAN: MIN ROS OCH LILJA for soloist and male choir (Sw)
52. EINOJUHANI RAUTAVAARA: SUITE DE LORCA / LORCA-SARJA (Sp/Fin)
53. EINOJUHANI RAUTAVAARA: HAMMARSKJÖLD FRAGMENT for male choir (Sw)
54. KALEVI AHO: LASIMAALAUS for female choir (Fin)
55. JOUKO LINJAMA: MIN DAG MIN KVÄLL MIN NATT for male choir (Sw)
56. ERIK BERGMAN: BIM BAM BUM for reciter, tenor, male choir and instrumental ensemble (Ger)
57. PEHR HENRIK NORDGREN: MAAN ALISTAMINEN (Fin)
58. JARMO SERMILÄ: KAI SINÄ PELKÄSIT for tenor and male choir (Fin)
59. BENGT JOHANSSON: A DOUBLE MADRIGAL for mixed choir with tenor, soprano and clarinet (Eng)
60. KAJ-ERIK GUSTAFSSON: DE PROFUNDIS for male chorus (Lat)
61. ERIK BERGMAN: VOICES IN THE NIGHT for baritone and male chorus (X)
62. ERIK BERGMAN: DREAMS for children's or female choir and soloists (X)
63. EINOJUHANI RAUTAVAARA: LAPSIMESSU / A CHILDREN'S MASS for children's voices and string orchestra (Chorus part) (Lat)
63a. EINOJUHANI RAUTAVAARA: LAPSIMESSU / A CHILDREN'S MASS Orchestral score
64. ERIK BERGMAN: GUDARNAS SPÅR for alto, baritone and mixed choir (Sw)
65. KAJ-ERIK GUSTAFSSON: SALVE REGINA for male chorus (Lat)
66a. MIKKO HEINIÖ: DREI FINNISCHE VOLKSLIEDER / KOLME KANSANLAULUA 1. Tirlil (Ger/Fin)
66b. MIKKO HEINIÖ: DREI FINNISCHE VOLKSLIEDER / KOLME KANSANLAULUA 2. Sommernacht / Kesäyönä (Ger/Fin)
66c. MIKKO HEINIÖ: DREI FINNISCHE VOLKSLIEDER / KOLME KANSANLAULUA 3. Der Spielmann / Pelimanni (Ger/Fin)
67. ERIK BERGMAN: TIPITAKA-SVIT for baritone and male choir (Sw)
68. KAJ-ERIK GUSTAFSSON: MISSA A CAPPELLA (Lat)
69. HEIKKI SARMANTO: SERIES IN FINLAND for male choir (Eng)
70. KAJ-ERIK GUSTAFSSON: KAKSI MERILAULUA for male choir (Fin)
71. EERO SIPILÄ: FOT MOT JORD (Sw)
72. BENGT JOHANSSON: TRIPTYCH (Lat)
73. KAJ-ERIK GUSTAFSSON: TE DEUM for mixed choir and organ (or two trumpets and two trombones) (Lat)
74. KAJ-ERIK GUSTAFSSON: MISSA A CAPPELLA for male choir (Lat)
75. KAJ-ERIK GUSTAFSSON: MAGNIFICAT (Lat)
76. ERIK BERGMAN: FOUR VOCALISES for mezzo-soprano and male voices (X)
77. JOUKO LINJAMA: KALEVALA-SARJA (Fin)
78. ERIK BERGMAN: LOITSUJA for baritone, reciter and male choir (Fin)
79. EINOJUHANI RAUTAVAARA: SUITE DE LORCA / LORCA-SARJA for children's choir (Sp/Fin)
80. ERIK BERGMAN: FÖRSTA MAJ for tenor and male choir (Sw)
81. EINOJUHANI RAUTAVAARA: NIRVANA DHARMA for soprano, flute and mixed choir (Eng)
82. ERIK BERGMAN: REGN (Sw)
83. TIMO-JUHANI KYLLÖNEN: CICLO PARA CORO MIXTO (Sp)
84. ERIK BERGMAN: UNGDOMSDRÖM for male choir (Sw)
85. PEKKA KOSTIAINEN: MISSA IN DEO SALUTARE MEUM (Lat)
86. EINOJUHANI RAUTAVAARA: KAKSI LAULUA VIGILIASTA / TWO EXTRACTS FROM THE VIGIL (Fin/Eng)
87. ERIK BERGMAN: TULE, ARMAANI for baritone and male choir (Fin)
88. BENGT JOHANSSON: STABAT MATER (Lat)
89. PAAVO HEININEN: THE AUTUMNS (Eng)
90. PAAVO HEININEN: COR MEUM (Fin/Lat/Eng/Ger)
91. EERO SIPILÄ: SUPER FLUMINA BABYLONIS (Lat)
92. HARRI VIITANEN: KUU JA AURINKO (Fin)
93. EINOJUHANI RAUTAVAARA: MAGNIFICAT (Lat)
94. ERIK BERGMAN: PETRARCA-SUITE for baritone and mixed choir (It)
95. EINOJUHANI RAUTAVAARA: CREDO (Lat)
96. EINOJUHANI RAUTAVAARA: THE FIRST RUNO for soprano and alto voices (Eng)
97. ERIK BERGMAN: NEIN ZUR LEBENSANGST for speaker and mixed choir (Ger)
98. ERIK BERGMAN: TAPIOLASSA for two child sopranos, alto and children's choir (Fin)
99. EERO SIPILÄ: HIMMEL OCH JORD SKOLA FÖRGÅS (Sw)
100. MIKKO HEINIÖ: LUCEAT (Lat)
101. VELI-MATTI PUUMALA: NEVER AGAIN (Eng)
102. JOONAS KOKKONEN: MISSA A CAPPELLA (Lat)
103. EINOJUHANI RAUTAVAARA: OCH GLÄDJEN DEN DANSAR / WITH JOY WE GO DANCING (Sw/Eng)
104. EINOJUHANI RAUTAVAARA: DIE ERSTE ELEGIE (Ger)
105. EINOJUHANI RAUTAVAARA: CANCION DE NUESTRO TIEMPO / AJAN LAULU (Sp/Fin)
106. MIKKO HEINIÖ: SKÅLBORDUN for male choir (Sw)
107. EERO HÄMEENNIEMI: NATTUVANAR for male choir (X)
108. JOONAS KOKKONEN: SORMIN SOITTI VÄINÄMÖINEN for male choir (Fin)
109. EINOJUHANI RAUTAVAARA: KATEDRALEN / THE CATHEDRAL (Sw/Eng)
110. ERIK BERGMAN: HOMMAGE À BÉLA BARTÓK for chamber choir (X)
111. EINOJUHANI RAUTAVAARA: "WENN SICH DIE WELT AUFTUT" for female choir (Ger)
112. KALEVI AHO: ILO JA EPÄ-SYMMETRIA (Fin)
113. EINOJUHANI RAUTAVAARA: HALAVAN HIMMEÄN ALLA / IN THE SHADE OF THE WILLOW (Fin/Eng)
114. MIKKO HEINIÖ: NON-STOP (Eng/Ger/It)
115. OLLI KORTEKANGAS: THREE ROMANCES (Eng)

KL 78.3411

Painojussit Oy Kerava 2007